ALCES
OU
LE TRIOMPHE D'ALCIDE,
TRAGEDIE

REPRESENTÉE, L'AN MDCLXXIV.

PAR L'ACADEMIE ROYALE DE MUSIQUE;

Remise au Théâtre, le Jeudy 22. Janvier 1739.

N'ayant point été représentée depuis 1728.

DE L'IMPRIMERIE
De JEAN-BAPTISTE-CHRISTOPHE BALLARD,
Seul Imprimeur du Roy, et de l'Académie Royale de Musique.
A Paris, au MONT-PARNASSE, Ruë S.-Jean-de-Beauvais.

M. DCCXXXIX.

AVEC PRIVILEGE DU ROY.

LE PRIX EST DE XXX. SOLS.

L'ACADEMIE ROYALE DE MUSIQUE, AU ROY:

LORIEUX CONQUERANT,
Protecteur des beaux Arts,
GRAND ROY, tournez sur moi vos augustes Regards.
Une affreuse Saison désole assez la Terre,
Sans y mêler encor les horreurs de la Guerre;
Tandis qu'un froid cruel dépouille les buissons,
Et des Oyseaux tremblants étouffe les chansons,
Eçoûtez les Concerts que mon soin vous prépare:
Des fidelles Amours je chante la plus rare,
Et des Vainqueurs fameux, j'ai fait choix entre tous,
Du plus grand que le monde ait connu jusqu'à Vous.

Après avoir couru de Victoire en Victoire,
Prenez un doux relâche au comble de la Gloire;
L'Hyver a beau s'armer de glace & de frimats,
Lorsqu'il vous plaît de vaincre, il ne Vous retient pas;
Et falût-il forcer mille obstacles ensemble,
La Moisson des Lauriers se fait quand bon vous semble.
Pour servir de refuge à des Peuples ingrats,
Envain un puissant Fleuve étendoit ses deux bras;
Ses flots n'ont opposé qu'une foible Barriere
A la rapidité de Vôtre ardeur guerriere.
Le Batave interdit après le Rhin dompté,
A dans son désespoir cherché sa seureté:
A voir par quels Exploits vous commenciez la guerre,
Il n'a point cru d'azile assez fort sur la terre;
Et de Vôtre valeur le redoutable cours
L'a contraint d'appeller la Mer son secours.
Laissez-le revenir de ses frayeurs mortelles;
Laissez-Vous preparer des Conquestes nouvelles,
Et donnez le loisir pour soûtenir Vos coups,
D'armer des Ennemis qui soient dignes de Vous.
Resistez quelque temps à vôtre impatience,
Prenez part aux douceurs dont vous comblez la France;
Et malgré la chaleur de Vos nobles desirs,
Endurez le repos, et souffrez les Plaisirs.

ACTEURS CHANTANTS
Dans tous les Chœurs.

CÔTÉ DU ROY.		CÔTÉ DE LA REINE.	
Mesdemoiselles	*Messieurs*	*Mesdemoiselles*	*Messieurs*
Dun,	Marcelet,	Antier-C.,	De Serre,
	St. Martin,		Louette,
Delorge,	Le Mesle,	Thetelette,	Gratin,
Varquin,	Lefebvre,		Groslier,
	Rimbault,	Lavasée,	Deshais,
Duplessis,	Buseau,		
La Fontaine,	François,	Deshaigles,	Mechain-C.,
	Duplessis,		Gallard,
Varlet,	Lorette,	Cartou,	Bornet,
	Houbault,		Bourque,
Jacquet.	Fel.	Selim.	Duchenet.

APROBATION.

JAY lû, par Ordre de Monseigneur le Chancelier, *Alceste*, ou *Le Triomphe d'Alcide*; Et je crois que le Public en verra la Réimpression & les Représentations avec plaisir. A Paris, le quinze Janvier mil sept cent trente-neuf. LA SERRE.

PROLOGUE.

ACTEURS CHANTANTS.

LA NYMPHE de la Seine,	Mlle. Eeremans.
LA GLOIRE,	Mlle. Jullye.
Suite de LA GLOIRE.	
LA NYMPHE des Thuilleries,	Mlle. Coupée.
LA NYMPHE de la Marne,	Mlle. Monville.
Nymphes & Divinitez des Eaux.	

ACTEURS DANSANTS.

Suite de LA NYMPHE des Thuilleries;

Monsieur Malter-l'Anglois;

Messieurs Hamoche, Thessier, Matignon;

Mesdemoiselles Dallemand-C., Fremicourt, Thiery.

Suite de LA NYMPHE de la Marne;

Mademoiselle Le Breton;

Messieurs Savar, Javillier-C., Javillier-3.

Mesdemoiselles Petit, Saint-Germain, Durocher.

PROLOGUE.

LE RETOUR DES PLAISIRS.

Le Théâtre représente le Palais & les Jardins des Thuilleries; LA NYMPHE DE LA SEINE paroît apuyée sur une Urne au milieu d'une Allée dont les Arbres sont séparez par des Fontaines.

SCENE PREMIERE.

LA NYMPHE DE LA SEINE.

E HEROS que j'attens, ne reviendra-t'il pas?
Serai-je toujours languissante
Dans une si cruelle attente?
LE HEROS *que j'attens, ne reviendra-t'il pas?*
On n'entend plus d'Oyseau qui chante,
On ne voit plus de Fleurs qui naissent sous nos pas:
LE HEROS *que j'attens, ne reviendra-t'il pas?*
L'herbe naissante
Paroît mourante,
Tout languit avec moi dans ces lieux pleins d'appas:

LE HEROS *que j'attens, ne reviendra-t'il pas?*
Serai-je toûjours languissante
Dans une si cruelle attente?
LE HEROS *que j'attens, ne reviendra-t'il pas?*

Bruit de Guerre.

Quel bruit de guerre m'épouvante?
Quelle Divinité va descendre ici-bas.

LA GLOIRE paroît au milieu d'un Palais brillant, qui descend au bruit d'une harmonie guerriere.

SCENE II.

LA NYMPHE DE LA SEINE, LA GLOIRE.

LA NYMPHE DE LA SEINE.

HElas! superbe Gloire, helas!
Ne dois-tu point être contente!
LE HEROS *que j'attens, ne reviendra-t'il pas?*
Il ne te suit que trop dans l'horreur des Combats;
Laisse en paix un moment sa Valeur triomphante.
LE HEROS *que j'attens, ne reviendra-t'il pas?*

LA GLOIRE.

Pourquoi tant de murmure? Nymphe, ta plainte est vaine,
Tu ne peux voir sans moi LE HEROS *que tu sers;*
Si son éloignement te coûte tant de peine,
Il récompense assez les douceurs que tu perds,
Voi ce qu'il fait pour Toi, quand la Gloire l'enmeine;
Voi comme sa Valeur a soûmis à la Seine
Le Fleuve le plus fier qui soit dans l'Univers.

LA NYMPHE

LA NYMPHE DE LA SEINE.

On ne voit plus ici paraître
Que des Ornements imparfaits;
Ah! rend-nous nôtre AUGUSTE MAISTRE,
Tu nous rendras tous nos attraits.

LA GLOIRE.

Il revient, et tu dois m'en croire;
Je lui sers de guide avec soin:
Puisque tu vois la Gloire,
Ton HEROS *n'est pas loin.*
Il laisse respirer tout le Monde qui tremble;
Soyons ici d'accord pour combler ses desirs.

ENSEMBLE.

Qu'il est doux d'accorder ensemble
La Gloire, et les Plaisirs.

LA NYMPHE DE LA SEINE.

Nayades, Dieux des Bois, Nymphes, que tout s'assemble,
Qu'on entende nos chants après tant de soupirs.

SCENE III.

LA GLOIRE, LA NYMPHE DE LA SEINE,

LA NYMPHE DES THUILLERIES s'avance avec une Troupe de Nymphes qui dansent ; les Arbres s'ouvrent, & font voir les Divinitez Champêtres qui joüent de differents Instruments ; Et les Fontaines se changent en Nayades qui chantent.

CHOEUR.

QU'il est doux d'accorder ensemble
La Gloire, et les Plaisirs.

LA NYMPHE DES THUILLERIES.

L'Art d'accord avec la Nature
Sert l'Amour dans ces lieux charmants :
Ces Eaux qui font rêver par un si doux murmure,
Ces Tapis où les Fleurs forment tant d'ornements,
Ces Gazons, ces Lits de verdure,
Tout n'est fait que pour les Amants.

SCENE IV.

LA GLOIRE, LA NYMPHE DE LA SEINE, LA NYMPHE DES THUILLERIES, LA NYMPHE DE LA MARNE, & leur Suite.

LA NYMPHE DE LA MARNE.

L'Onde se presse
D'aller sans cesse
Jusqu'au bout de son cours:
S'il faut qu'un cœur suive une pente,
En est-il qui soit plus charmante
Que le doux penchant des Amours?

On danse.

LA GLOIRE, ET LA NYMPHE DE LA SEINE.

Que tout retentisse,
Que tout réponde à nos voix:

LA NYMPHE DES THUILLERIES.

Que tout fleurisse
Dans nos Jardins & dans nos Bois.

LA NYMPHE DE LA MARNE.

Que le Chant des Oyseaux s'unisse
Avec le doux son des Hautbois.

TOUS ENSEMBLE.

Que tout retentisse,
Que tout réponde à nos voix:
Que le Chant des Oyseaux s'unisse
Avec le doux son des Hautbois.
Que tout retentisse,
Que tout réponde à nos voix.

On danse.

CHOEUR.

Quel cœur sauvage
Ici ne s'engage?
Quel cœur sauvage
Ne sent point l'amour?
Nous allons voir les Plaisirs de retour;
Ne manquons pas d'en faire un doux usage:
Pour rire un peu, l'on n'est pas moins sage.

Ah, quel dommage
De fuir ce rivage!
Ah, quel dommage
De perdre un beau jour!
Nous allons voir les Plaisirs de retour;
Ne manquons pas d'en faire un doux usage:
Pour rire un peu, l'on n'est pas moins sage.

On danse.

CHOEURS.

Revenez, Plaisirs exilez,
Volez de toutes parts, Volez.

Les PLAISIRS volent, & viennent préparer des Divertissements.

FIN DU PROLOGUE.

ACTEURS CHANTANTS.

ALCIDE *ou* HERCULE, Mr Le Page.
LYCAS, Confident d'ALCIDE, Mr Mechain.
STRATON, Confident de LICOMEDE, Mr Dun.
CE'PHISE, Confidente d'ALCESTE, Mlle. Fel.
LICOMEDE, Frere de THETIS,
& Roy de l'Isle de Scyros, Mr. Albert.
PHERE'S, Pere d'ADMETE, Mr Cuvillier.
ADMETE, Roy de Thessalie, Mr. Tribou.
CLEANTE, Ecuyer d'ADMETE, Mr Lefebvre.
ALCESTE, Princesse d'Yolcos, Mlle. Pellicier.
Troupe de Divinitez de la Mer.
DEUX TRITONS, Mrs. { Berard. Gallard.
THETIS, Nereide, Mlle. Monville.
EOLE, Roy des Vents, Mr. Lefebvre.
Troupe de Soldats de LICOMEDE.
Troupe de Soldats THESSALIENS.
APOLLON, Mr. Berard.
FEMME AFFLIGE'E, Mlle. Jullye.
DIANE, Mlle LaFontaine.
MERCURE,
OMBRES. CARON, Mr. Dun.
PLUTON, Mr. Albert.
PROSERPINE, Mlle. Monville.
L'Ombre d'ALCESTE. Mlle. Coupée.
Suivants de PLUTON.
ALECTON, Mr Cuvillier.

La Scene est dans la Ville d'Yoleos en Thessalie.

ACTEURS DANSANTS.

PREMIER ACTE.

MATELOTS, ET MATELOTTES;

Mademoiſelle Mariette;

Meſſieurs F-Dumoulin, Theſſier, P-Dumoulin; Dangeville, Malter-L.

Meſdemoiſelles Thiery, Dallemand-C., Fremicourt, Le Breton, Saint-Germain.

DEUXIE'ME ACTE.

COMBATTANTS;

Troupe de Soldats de LICOMEDE;

Monſieur Javillier-C.;

Meſſieurs Dangeville, P-Dumoulin, Theſſier, Hamoche, Malter-L., Charlier.

Troupe de Soldats THESSALIENS;

Monſieur Savar;

Meſſieurs Javillier-3., Lacroix, Dumay, Dupré, Matignon, Boudet.

TROISIE'ME ACTE.

TROUPE D'HOMMES AFFLIGEZ;

Messieurs Dumay, Dupré, Thessier, Hamoche.

TROUPE DE FEMMES AFFLIGE'ES;

Mesdemoiselles Petit, Durocher, Saint-Germain, Courcelle.

QUATRIE'ME ACTE.

DIVINITEZ INFERNALES;

Monsieur Dupré;

Messieurs Malter-C., Matignon;

Messieurs Savar, Dumay, Dupré, Lacroix, Javillier-C., Javillier-3.

Mademoiselle Dallemand-L.;

Mesdemoiselles Petit, Durocher, Fremicourt, Saint-Germain, Courcelle.

CINQUIE'ME ACTE.

BERGERS, ET BERGERES;

Monſieur D-Dumoulin;

Meſſieurs F-Dumoulin, P-Dumoulin, Theſſier, Dangeville, Malter-L.

Mademoiſelle Sallé;

Meſdemoiſelles Fremicourt, Thiery, Dallemand-C., Saint-Germain, Courcelle.

L'on vend cet Opera imprimé pour la premiere fois, Partition In-quarto, 12. liv. relié.

Le même Opera eſt gravé Infolio : Il eſt du prix de *vingt livres relié*, de même que chacun des dix-huit autres Opera de Mr. DE LULLY.

ALCESTE,

ALCESTE,
TRAGEDIE.

ACTE PREMIER.

Le Théâtre represente un Port de Mer, où l'on voit un grand Vaisseau orné & préparé pour une Fête galante, au milieu de plusieurs Vaisseaux de Guerre.

SCENE PREMIERE.

ALCIDE, LICAS, Troupe de THESSALIENS.

CHOEUR de THESSALIENS.

Vivez, vivez, heureux Epoux.

LICAS.

Vôtre Ami le plus cher, épouse la Princesse
La plus charmante de la Grece:
Lorsque chacun les suit, Seigneur, les fuyez-vous?

CHOEUR. *Vivez, vivez, heureux Epoux.*

LICAS.

Vous paroissez troublé des cris qui retentissent?
Quand deux Amants heureux s'unissent
Le cœur du grand Alcide en seroit-il jaloux?

CHOEUR. *Vivez, vivez, heureux Epoux.*

LICAS.

Seigneur, vous soûpirez, & gardez le silence?

ALCIDE.

Ah! Licas, laisse-moi partir en diligence.

LICAS.

Quoi! dès ce même jour presser vôtre départ?

ALCIDE.

J'aurai beau me presser, je partirai trop tard.
Ce n'est point avec toi que je prétens me taire;
Alceste est trop aimable, elle a trop sçu me plaire;
Un autre en est aimé, rien ne flatte mes vœux:
C'en est fait, Admete l'épouse,
Et c'est dans ce moment qu'on les unit tous deux.
Ah! qu'une ame jalouse
Eprouve un tourment rigoureux!
J'ai peine à l'exprimer moi-même:
Figure-toi, si tu le peux,
Quelle est l'horreur extrême
De voir ce que l'on aime,
Au pouvoir d'un Rival heureux.

LICAS.

L'Amour est-il plus fort qu'un Heros indomptable?
L'Univers n'a point eu de Monstre redoutable
Que vous n'ayez pû surmonter.

ALCIDE.

Eh, crois-tu que l'Amour soit moins à redouter?

Le plus grand cœur a sa foiblesse.
Je ne puis me sauver de l'ardeur qui me presse
Qu'en quittant ce fatal Séjour:
Contre d'aimables charmes
La valeur est sans armes,
Et ce n'est qu'en fuyant qu'on peut vaincre l'Amour.

LICAS.

Vous devez vous forcer, aumoins à voir la Fête
Qui déja dans ce Port, vous paroît toute prête.
Vôtre fuite à présent feroit un trop grand bruit;
Differez jusqu'à la nuit.

ALCIDE.

Ah Licas! quelle nuit! ah quelle nuit funeste!

LICAS.

Tout le reste du jour voyez encore Alceste.

ALCIDE.

La voir encore!... hé bien differons mon départ,
Je te l'avois bien dit, je partirai trop tard.

Je vais la voir aimer un Epoux qui l'adore,
Je verrai dans leurs yeux un tendre empressement:
Que je vais payer cherement
Le plaisir de la voir encore!

SCENE II.

ALCIDE, STRATON, ET LICAS.

ENSEMBLE.

L'Amour a bien des maux, mais le plus grand de tous,
C'eſt le tourment d'être jaloux.

SCENE III.

STRATON, LICAS.

STRATON.

Licas, j'ai deux mots à te dire.

LICAS.

Que veux-tu? parle je t'entends.

STRATON.

Nous ſommes amis de tout temps;
Céphiſe, tu le ſçais, me tient ſous ſon empire,
Tu ſuy par tout ſes pas: qu'eſt-ce que tu prétens?

LICAS.

Je prétens rire.

STRATON.

Pourquoi veux-tu troubler deux cœurs qui ſont contents?

LICAS.

Je prétens rire.
Tu peux à ton gré t'enflâmer ;
Chacun a sa façon d'aimer ;
Qui voudra soupirer, soupire,
Je prétens rire.

STRATON.

J'aime, & je suis aimé : laisse en paix nos amours.

LICAS.

Rien ne doit t'allarmer, s'il est bien vrai qu'on t'aime ;
Un Rival rebuté donne un plaisir extrême.

STRATON.

Un Rival tel qu'il soit importune toûjours.

LICAS.

Je vois ton amour sans colere,
Tu devrois en user ainsi :
Puisque Céphise t'a sçu plaire,
Pourquoi ne veux-tu pas qu'elle me plaise aussi ?

STRATON.

A quoi sert-il d'aimer ce qu'il faut que l'on quitte ?
Tu ne peux demeurer long-temps dans cette Cour.

LICAS.

Moins on a de momens à donner à l'Amour,
Et plus il faut qu'on en profite.

STRATON.

J'aime depuis deux ans avec fidelité :
Je puis croire sans vanité,
Que tu ne dois pas être un Rival qui m'allarme.

LICAS.

J'ai pour moi la nouveauté ;
En amour c'est un grand charme.

STRATON.

Céphise m'a promis un cœur tendre & constant.

LICAS.

Céphise m'en promet autant.

STRATON.

Ah si je le croyois !... Mais tu n'es pas croyable..

LICAS.

Croi-moi, fais ton profit d'un reste d'amitié,
Sers-toi d'un avis charitable
Que je te donne par pitié.

STRATON.

Le mépris d'une volage
Doit être un assez grand mal,
Et c'est un nouvel outrage
Que la pitié d'un Rival.

Elle vient l'Infidelle,
Pour chanter dans les Jeux dont je prens soin ici.

LICAS.

Je te laisse avec elle,
Il ne tiendra qu'à toi d'être mieux éclairci.

SCENE IV.

CE'PHISE, STRATON.

CE'PHISE.

DAns ce beau jour, quelle humeur ſombre
Fais-tu voir à contre-temps?

STRATON.

C'eſt que je ne ſuis pas du nombre
Des Amants qui ſont contents.

CE'PHISE.

Un ton grondeur & ſevere
N'eſt pas un grand agrément;
Le chagrin n'avance guere
Les affaires d'un Amant.

STRATON.

Licas vient de me faire entendre
Que je n'ai plus ton cœur, qu'il doit ſeul y prétendre,
Et que tu ne vois plus mon amour qu'à regret!

CE'PHISE.

Licas eſt peu diſcret...

STRATON.

Ah je m'en doutois bien qu'il vouloit me ſurprendre.

CE'PHISE.

Licas est peu discret
D'avoir dit mon secret.

STRATON.

Comment! il est donc vrai! tu n'en fais point d'excuse?
Tu me trahis ainsi sans en être confuse?

CE'PHISE.

Tu te plains sans raison;
Est-ce une trahison,
Quand on te désabuse?

STRATON.

Que je suis étonné de voir ton changement!

CE'PHISE.

Si je change d'Amant
Qu'y trouves-tu d'étrange?
Est-ce un sujet d'étonnement
De voir une Fille qui change?

STRATON.

Après deux ans passez dans un si doux lien,
Devois-tu jamais prendre une chaîne nouvelle?

CE'PHISE.

Ne comptes-tu pour rien
D'être deux ans fidelle?

STRATON.

STRATON.

Par un eſpoir doux & trompeur,
Pourquoi m'engageois-tu dans un amour ſi tendre?
Falloit-il me donner ton cœur,
Puiſque tu voulois le reprendre?

CE'PHISE.

Quand je t'offris mon cœur, c'étoit de bonne foi;
Que n'empêches-tu qu'on te l'ôte?
Eſt-ce ma faute
Si Licas me plaît plus que toi?

STRATON.

Ingrate, eſt-ce le prix de ma perſeverance?

CE'PHISE.

Eſſaye un peu de l'inconſtance:
C'eſt toi qui le premier m'apris à m'engager:
Pour recompenſe
Je te veux apprendre à changer.

STRATON, ET CE'PHISE.

Il faut { *aimer* / *changer.* } *toûjours.*
Les plus douces amours
Sont les amours { *fidelles:* / *nouvelles:* }
Il faut { *aimer* / *changer* } *toûjours.*

SCENE V.

LICOMEDE, STRATON, CE'PHISE

LICOMEDE.

STraton, donne ordre qu'on s'apprête
Pour commencer la Fête.

STRATON se retire.

LICOMEDE, à CE'PHISE.

Enfin, grace au dépit, je goûte la douceur
De sentir le repos de retour dans mon cœur.
J'étois à préferer au Roi de Thessalie;
Et si pour sa gloire, on publie
Qu'Apollon autrefois lui servit de Pasteur,
Je suis Roi de Scyros, & Thétis est ma Sœur.
J'ay sçu me consoler d'un hymen qui m'outrage,
J'en ordonne les Jeux avec tranquillité.

Qu'aisément le dépit dégage
Des fers d'une ingrate Beauté:
Et qu'après un long esclavage,
Il est doux d'être en liberté.

CE'PHISE.

Il n'est pas sûr toûjours de croire l'apparence:
Un cœur bien pris, & bien touché,
N'est pas aisément détaché,
Ni si-tôt guéri que l'on pense;
Et l'amour est souvent caché
Sous une feinte indifference.

LICOMEDE.

Quand on est sans esperance,
On est bientôt sans amour.
Mon Rival a la préference,
Ce que j'aime est en sa puissance,
Je perds tout espoir en ce jour :
Quand on est sans esperance,
On est bientôt sans amour.

Voici l'heure qu'il faut que la Fête commence,
Chacun s'avance,
Préparons-nous.

SCENE VI.

ADMETE, ALCESTE, PHERES, ALCIDE, LICAS, CE'PHISE, STRATON, Troupe de THESSALIENS.

CHOEUR.

Vivez, vivez, heureux Epoux,

PHERES.

Jouissez des douceurs du nœud qui vous assemble.

ADMETE, ET ALCESTE.

Quand l'Hymen & l'Amour sont bien d'accord ensemble
Que les nœuds qu'ils forment sont doux ?

CHOEUR. *Vivez, vivez, heureux Epoux.*

SCENE VII.

Des Nymphes de la Mer & des Tritons, viennent faire une Fête Marine, où se mêlent des Matelots & des Pêcheurs.

DEUX TRITONS.

Malgré tant d'orages,
Et tant de naufrages,
Chacun à son tour
S'embarque avec l'Amour.

Par tout où l'on menne
Les Cœurs amoureux,
On voit la Mer pleine
D'écueils dangereux;
Mais sans quelque peine,
On n'est jamais heureux:
Une ame constante,
Après la tourmente,
Espere un beau jour.

Malgré tant d'orages, &c.

On danse.

*

Un Cœur qui differe
D'entrer en affaire,
S'expose à manquer
Le temps de s'embarquer.

Une ame commune
S'étonne d'abord,
Le ſoin l'importune,
Le calme l'endort,
Mais quelle fortune
Fait-on ſans quelque effort?
Eſt-il un commerce
Exempt de traverſe?
Chacun doit riſquer.

Un Cœur qui differe, &c.

CEPHISE, vétuë en Nymphe de la Mer, Alternativement avec le Chœur.

Jeunes Cœurs, laiſſez-vous prendre,
Le peril eſt grand d'attendre,
Vous perdez d'heureux moments
En cherchant à vous deffendre;

Si l'Amour a des tourments,
C'eſt la faute des Amants.

On danſe.

UNE NYMPHE DE LA MER, ET CEPHISE.

Plus les ames ſont rebelles,
Plus leurs peines ſont cruelles,
Les plaiſirs doux & charmants
Sont le prix des cœurs fidelles:

Si l'Amour a des tourments,
C'eſt la faute des Amants.

LICOMEDE, à ALCESTE.

On vous aprête
Dans mon Vaisseau
Un divertissement nouveau.

LICOMEDE, ET STRATON.

Venez voir ce que nôtre Fête
Doit avoir de plus beau.

LICOMEDE conduit ALCESTE dans son Vaisseau, STRATON y menne CE'PHISE, & dans le temps qu'ADMETE ET ALCIDE y veulent passer, le Pont s'enfonce dans la Mer.

ADMETE, ET ALCIDE.

Dieux! le Pont s'abîme dans l'eau.

CHOEUR.

Ah quelle trahison funeste!

ALCESTE, ET CE'PHISE.

Au secours, au secours.

ALCIDE.

Perfide...

ADMETE.

Alceste...

ALCIDE, ET ADMETE.

Laissons les vains discours.
Au secours, au secours.

LE CHOEUR des Thessaliens.

Au secours, au secours.

SCENE VIII.

THETIS, ADMETE.

THETIS, sortant de la Mer.

EPoux infortuné, redoute ma colere,
Tu vas hâter l'instant qui doit finir tes jours ;
C'est Thetis que la Mer révere,
Que tu vois contre toi du parti de son Frere.
Et c'est à la mort que tu cours.

ADMETE, courant s'embarquer.

Au secours, au secours.

THETIS.

Puis qu'on méprise ma puissance ;
Que les vents déchaînez,
Que les flots mutinez
S'arment pour ma vangeance.

THETIS rentre dans la Mer, & les Aquilons excitent une tempête qui agite les Vaisseaux qui s'éforcent de poursuivre LICOMEDE.

SCENE IX.

EOLE, LES AQUILONS, LES ZEPHIRS.

EOLE.

LE Ciel protege les Heros:
Allez Admette, allez Alcide;
Le Dieu qui sur les Dieux préside
M'ordonne de calmer les flots:
Allez, poursuivez un Perfide.

Retirez-vous,
Vents en courroux,
Rentrez dans vos prisons profondes:
Et laissez regner sur les ondes
Les Zephirs les plus doux.

L'orage cesse, les Zephirs volent & font fuir les Aquilons qui tombent dans la Mer avec les nuages qu'ils en avoient élevez, & les Vaisseaux d'ALCIDE & d'ADMETE poursuivent LICOMEDE.

FIN DU PREMIER ACTE.

ACTE II.

ACTE SECOND.

Le Théâtre représente la Ville principale de l'Isle de Scyros.

SCENE PREMIERE.

CÉPHISE, STRATON.

CÉPHISE.

Lceste ne vient point, & nous devons attendre.

STRATON.

Que peut-elle prétendre?
Pourquoi se tourmenter ici mal-à-propos?
Ses cris ont beau se faire entendre,
Peut-être son Epoux a peri dans les flots,
Et nous sommes enfin dans l'Isle de Scyros.

CE'PHISE.

Tu ne te plaindras point que j'en use de même:
Je t'ay donné peu d'embarras
Tu vois comme je suy tes pas.

STRATON.

Tu sçais dissimuler une colere extrême.

CE'PHISE.

Et si je te disois que c'est toy seul que j'aime?

STRATON.

Tu le dirois envain, je ne te croirois pas.

CE'PHISE.

Croi-moi, si j'ai feint de changer
C'étoit pour te mieux engager.

Un Rival n'est pas inutile,
Il réveille l'ardeur & les soins d'un Amant;
Une conqueste facile
Donne peu d'empressement,
Et l'Amour tranquile
S'endort aisément.

STRATON.

Non, non, ne tente point une seconde ruse,
Je vois plus clair que tu ne crois.
On excuse d'abord un Amant qu'on abuse;
Mais la sotise est sans excuse,
De se laisser tromper deux fois.

CEPHISE.

N'est-il aucun moyen d'apaiser ta colere?

STRATON.

Consens à m'épouser, & sans retardement.

CE'PHISE.

Une si grande affaire
Ne se fait pas si promptement:
Un hymen qu'on differe
N'en est que plus charmant.

STRATON.

Un hymen qui peut plaire
Ne coûte guere,
Et c'est un nœud bientôt formé;
Rien n'est plus aisé que de faire
Un Epoux, d'un Amant aimé.

CE'PHISE.

Je t'aime d'un amour sincere;
Et s'il est necessaire,
Je m'offre à t'en faire un serment.

STRATON.

Amusement, amusement.

CE'PHISE.

L'injuste enlevement d'Alceste
Attire dans ces lieux une guerre funeste,
Les plus braves des Grecs s'arment pour son secours:
Au milieu des cris & des larmes,
L'hymen a peu de charmes;
Attendons de tranquiles jours.

Le bruit affreux des armes
Effarouche bien les Amours.

STRATON.

Discours, discours, discours.
Tu n'as qu'à m'épouser pour m'ôter tout ombrage?
Pourquoi differer davantage?
A quoi servent tant de façons?

CE'PHISE.

Rends-moi la liberté pour m'épouser sans crainte;
Un hymen fait avec contrainte
Est un mauvais moyen de finir tes soupçons.

STRATON.

Chansons, chansons, chansons.

SCENE II.

LICOMEDE, ALCESTE, STRATON, CE'PHISE, Soldats de LICOMEDE.

LICOMEDE.

ALLons, allons, la plainte est vaine.

ALCESTE.

Ah! quelle rigueur inhumaine!

LICOMEDE.

Allons, je suis sourd à vos cris,
Je me vange de vos mépris.

ALCESTE.

Quoi! vous ferez inexorable?

LICOMEDE.

Cruelle, vous m'avez appris.
A devenir impitoyable.

ALCESTE.

Est-ce ainsi que l'Amour a sçû vous émouvoir?
Est-ce ainsi que pour moi vôtre ame est attendrie?

LICOMEDE.

L'Amour se change en Furie,
Quand il est au desespoir;
Puisque je perds toute esperance,
Je veux desesperer mon Rival à son tour;
Et les douceurs de la Vangeance
Ont dequoi consoler des rigueurs de l'Amour.

ALCESTE.

Voyez la douleur qui m'accable.

LICOMEDE.

Vous avez sans pitié regardé ma douleur,
Vous m'avez rendu miserable,
Vous partagerez mon malheur.

ALCESTE.

Admete avoit mon cœur dès ma plus tendre enfance;
Nous ne connoissions pas l'Amour ny sa puissance.
Lorsque d'un nœud fatal il vint nous enchaîner:
Ce n'est pas une grande offense
Que le refus d'un cœur qui n'est plus à donner.

LICOMEDE.

Eſt-ce aux Amants qu'on deſeſpere
A devoir rien examiner?
Non, je ne puis vous pardonner
D'avoir trop ſçû me plaire.

Que ne m'ont point coûté vos funeſtes attraits!
Ils ont mis dans mon cœur une cruelle flâme;
Ils ont arraché de mon ame
L'innocence & la paix.

Non, Ingrate, non, Inhumaine,
Non, quelque ſoit vôtre peine,
Non, je ne vous rendrai jamais
Tous les maux que vous m'avez faits.

STRATON.

Voici l'Ennemi qui s'avance
En diligence.

LICOMEDE.

Préparons-nous
A nous défendre.

ALCESTE.

Ah! Cruel, que n'épargnez-vous
Le ſang qu'on va répandre!

LICOMEDE & ſes Soldats.

Periſſons-tous,
Plûtôt que de nous rendre.

LICOMEDE contraint ALCESTE d'entrer dans la Ville, CE'PHISE la ſuit, & les Soldats de LICOMEDE ferment la Porte de la Ville auſſi-tôt qu'ils y ſont entrez.

SCENE III.

ADMETE, ALCIDE, LICAS, Soldats aſſiegeans.

ADMETE, ET ALCIDE.

Marchez, marchez, marchez:
Aprochez, Amis, aprochez,
Marchez, marchez, marchez.
Hâtons-nous de punir des Traîtres,
Rendons-nous maîtres
Des murs qui les tiennent cachez:
Marchez, marchez, marchez.

SCENE IV.

LICOMEDE, STRATON,
Soldats Assiegez;

ADMETE, ALCIDE, LICAS,
Soldats Assiegeans.

LICOMEDE sur les Remparts.

Ne pretendez pas nous surprendre,
Venez, nous allons vous attendre:
Nous ferons-tous nôtre devoir
Pour vous bien recevoir.

STRATON, & les Soldats assiegez.

Nous ferons-tous nôtre devoir
Pour vous bien recevoir.

ADMETE.

Perfide, évite un sort funeste,
On te pardonne tout si tu veux rendre Alceste.

LICOMEDE.

J'aime mieux mourir, s'il le faut,
Que de céder jamais cet Objet plein de charmes.

ADMETE, ET ALCIDE.

A l'assaut, à l'assaut.

LICOMEDE, ET STRATON.

Aux armes, aux armes.

LES

LES ASSIEGEANS.
A l'assaut, à l'assaut.

LES ASSIEGEZ.
Aux armes, aux armes.

ADMETE, ET LICOMEDE.
A moi, Compagnons, à moi.
A moy, suivez vôtre Roi.

ALCIDE.
C'est Alcide
Qui vous guide.

ADMETE, ALCIDE, ET LICOMEDE.
A moi, Compagnons, à moi.

On fait avancer des Beliers & autres Machines de guerre pour battre la Place.

TOUS ENSEMBLE.
Donnons, donnons de toutes parts.

LES ASSIEGEANS.
Que chacun à l'envi combatte;
Que l'on abatte
Les Murs, & les Remparts.

TOUS ENSEMBLE.
Donnons, donnons de toutes parts.

LES ASSIEGEZ.

Que les Ennemis pesle mesle,
Trébuchent sous l'affreuse gresle
De nos fléches, & de nos dards.

TOUS.

Donnons, donnons de toutes parts.
Courage, courage, courage,
Ils sont à nous, ils sont à nous.

ALCIDE.

C'est trop disputer l'avantage,
Je vais vous ouvrir un passage,
Suivez-moi tous, suivez-moi tous.

TOUS ENSEMBLE.

Courage, courage, courage,
Ils sont à nous, ils sont à nous.

Les Assiegez voyant leurs Remparts à demi abattus, & la Porte de la Ville enfoncée, font un dernier effort dans une Sortie, pour repousser les Assiegeans.

LES ASSIEGEANS.

Achevons d'emporter la Place;
L'Ennemi commence à plier.
Main basse, main basse, main basse.

LES ASSIEGEZ, rendant les Armes.

Quartier, quartier, quartier.

LES ASSIEGEANS.

La Ville est prise.

LES ASSIEGEZ.

Quartier, quartier, quartier.

LYCAS, terrassant STRATON.

Il faut rendre Céphise.

STRATON.

Je suis ton prisonnier,
Quartier, quartier, quartier.

SCENE V.

PHERES armé, & marchant avec peine.

COurage Enfants, je suis à vous;
Mon bras va seconder vos coups:
Mais c'en est déja fait, & l'on a pris la Ville;
La foiblesse de l'âge a retardé mes pas:
La valeur devient inutile
Quand la force n'y répond pas.

Que la Vieillesse est lente,
Les efforts qu'elle tente
Sont toûjours impuissans:
C'est une charge bien pesante
Qu'un fardeau de quatre-vingts-ans.

SCENE VI.

ALCIDE, ALCESTE, CE'PHISE, PHERES, LYCAS, STRATON enchaîné.

ALCIDE, à PHERES.

Rendez à vôtre Fils cette aimable Princesse.

PHERES.

Ce don de vôtre main seroit encor plus doux.

ALCIDE.

Allez, allez la rendre à son heureux Epoux.

ALCESTE.

Tout est soumis, la guerre cesse;
Seigneur, pourquoi me laissez-vous?
Quel nouveau soin vous presse?

ALCIDE.

Vous n'avez rien à redouter,
Je vais chercher ailleurs des Tyrans à dompter.

ALCESTE.

Les nœuds d'une amitié pressante
Ne retiendront-ils point vôtre ame impatiente?
Et la Gloire toûjours vous doit-elle emporter?

ALCIDE.

Gardez-vous bien de m'arrêter.

ALCESTE.

C'est vôtre valeur triomphante
Qui fait le sort charmant que nous allons goûter ;
Quelque douceur que l'on ressente,
Un ami tel que vous l'augmente ;
Voulez-vous si-tôt nous quitter ?

ALCIDE.

Gardez-vous bien de m'arrêter.
Laissez ; laissez-moi fuir un charme qui m'enchante :
Non, toute ma vertu n'est pas assez puissante
Pour répondre d'y résister.
Non, encore une fois, Princesse trop charmante,
Gardez-vous bien de m'arrêter.

SCENE VII.

ALCESTE, PHERES, CE'PHISE.

TOUS.

CHerchons Admete promptement.

ALCESTE.

Peut-on chercher ce qu'on aime
Avec trop d'empressement !
Quand l'amour est extrême,
Le moindre éloignement
Est un cruel tourment.

TOUS. *Cherchons Admete promptement.*

SCENE VIII.

ADMETE blessé, CLEANTE, ALCESTE, PHERES, CE'PHISE, Soldats de leur suite.

ALCESTE.

O Dieux ! quel spectacle funeste !

CLEANTE.

Le chef des Ennemis mourant & terrassé,
De sa rage expirante a ramassé le reste,
Le Roy vient d'en être blessé.

ADMETE.

Je meurs, charmante Alceste ;
Mon sort est assez doux,
Puisque je meurs pour vous.

ALCESTE.

C'est pour vous voir mourir que le Ciel me délivre !

ADMETE.

Avec le nom de vôtre Epoux
J'eusse été trop heureux de vivre ;
Mon sort est assez doux,
Puisque je meurs pour vous.

ALCESTE.

Est-ce là cet hymen si doux, si plein d'appas,
Qui nous promettoit tant de charmes?
Falloit-il que si-tôt l'aveugle sort des armes
Tranchât des nœuds si beaux, par un affreux trépas?
Est-ce là cet hymen si doux, si plein d'appas,
Qui nous promettoit tant de charmes?

ADMETE.

Belle Alceste, ne pleurez pas,
Tout mon sang ne vaut point vos larmes.

ALCESTE.

Est-ce là cet hymen si doux, si plein d'appas,
Qui nous promettoit tant de charmes?

ADMETE.

Alceste, vous pleurez?

ALCESTE.

Admete, vous mourez.

ENSEMBLE.

Alceste, vous pleurez?
Admete, vous mourez!

ALCESTE.

Se peut-il que le Ciel permette,
Que les cœurs d'Alceste & d'Admete
Soient ainsi separez?

ENSEMBLE.

Alceste vous, pleurez?
Admete, vous mourez!

SCENE IX.

APOLLON, LES ARTS, ADMETE, ALCESTE, PHERES, CE'PHISE, CLEANTE, Soldats de leur ſuite.

APOLLON, environné des Arts.

LA lumiere aujourd'hui te doit être ravie ;
Il n'eſt qu'un ſeul moyen de prolonger ton ſort.
Le Deſtin me promet de te rendre la vie,
Si quelqu'autre pour toi veut s'offrir à la mort.
Reconnois ſi quelqu'un t'aime parfaitement,
Sa mort aura pour prix une immortelle gloire :
Pour en conſerver la memoire,
Les Arts vont élever un pompeux Monument.

Les Arts qui ſont autour d'APOLLON ſe ſeparent ſur des Nuages differents, & tous deſcendent pour élever un Monument ſuperbe, tandis qu'APOLLON s'envole.

FIN DU SECOND ACTE.

ACTE III.

ACTE TROISIÉME.

Le Théâtre repréſente un grand Monument élevé par les Arts. Un Autel vuide paroît au milieu pour ſervir à porter l'Image de la Perſonne qui s'immolera pour ADMETE.

SCENE PREMIERE.

ALCESTE, PHERES, CE'PHISE.

ALCESTE.

H! pourquoi nous ſeparez-vous?
Eh du moins, attendez que la mort nous ſépare;
Cruels, quelle pitié barbare
Vous preſſe d'arracher Alceſte à ſon Epoux?
Ah! pourquoi nous ſéparez-vous?

PHERES, ET CE'PHISE.

Plus vôtre Epoux mourant voit d'amour & d'appas,
Et plus le jour qu'il perd lui doit faire d'envie:
Ce ſont les douceurs de la vie
Qui font les horreurs du trépas.

ALCESTE.

Les Arts n'ont point encore achevé leur ouvrage ;
Cet Autel doit porter la glorieuse Image,
De qui signalera sa foi,
En mourant, pour sauver son Roi.

Le prix d'une gloire immortelle
Ne peut-il toucher un grand cœur ?
Faut-il que la mort la plus belle
Ne laisse pas de faire peur ?
A quoi sert la foule importune
Dont les Rois sont embarassez ?
Un coup fatal de la Fortune
Ecarte les plus empressez.

ALCESTE, PHERES, ET CE'PHISE.

De tant d'amis qu'avoit Admete,
Aucun ne vient le secourir ;
Quelque honneur qu'on promette,
On le laisse mourir.

PHERES.

J'aime mon Fils, je l'ai fait Roi ;
Pour prolonger son sort, je mourrois sans effroi ;
Si je pouvois offrir des jours dignes d'envie :
Je n'ai plus qu'un reste de vie,
Ce n'est rien pour Admete, & c'est beaucoup pour moi.

CE'PHISE.

Les honneurs les plus éclatants,
Envain dans le tombeau promettent de nous ſuivre,
La mort eſt affreuſe en tout temps:
Mais peut-on renoncer à vivre,
Quand on n'a vécu que quinze ans?

ALCESTE.

Chacun eſt ſatisfait des excuſes qu'il donne:
Cependant on ne voit perſonne
Qui, pour ſauver Admete, oſe perdre le jour;
Le Devoir, l'Amitié, le Sang, tout l'abandonne,
Il n'a plus d'eſpoir qu'en l'Amour.

SCENE II.

PHERES, CLEANTE, Peuples de leur suite.

PHERES.

VOyons encor mon Fils, allons, hâtons nos pas;
Ses yeux vont se couvrir d'éternelles ténebres.

LE CHOEUR.

Hélas! helas! helas!

PHERES.

Quels cris! quelles plaintes funebres!

LE CHOEUR, *Helas!* &c.

PHERES.

Où vas-tu? Cleante, demeure.

CLEANTE.

Helas! helas!
Le Roi touche à sa derniere heure,
Il s'affoiblit, il faut qu'il meure,
Et je viens pleurer son trépas.

Helas! helas!

LE CHOEUR, *Helas!* &c.

PHERES.

On le plaint, tout le monde pleure,
Mais nos pleurs ne le sauvent pas.

LE CHOEUR, *Helas!* &c.

SCENE III.

ADMETE, & les Acteurs de la Scene précédente.

LE CHOEUR.

O Trop heureux Admete,
Que vôtre sort est beau!

PHERES, ET CLEANTE.

Quel changement! quel bruit nouveau!

LE CHOEUR, *O trop heureux*, &c.

PHERES, ET CLEANTE, Voyant ADMETE gueri.

L'effort d'une amitié parfaite
L'a sauvé du tombeau.

PHERES, embrassant ADMETE.

O trop heureux Admete,
Que vôtre sort est beau!

LE CHOEUR, *O trop heureux Admete*, &c.

ADMETE.

Qu'une Pompe funebre
Rende à jamais célébre
Le genereux effort
Qui m'arrache à la mort.

Alceste n'aura plus d'allarmes,
Je reverrai ses yeux charmants
A qui j'ai coûté tant de larmes:
Que la vie a de charmes
Pour les heureux amants!

Achevez, Dieux des Arts, faites-nous voir l'Image
Qui doit éterniser la grandeur de courage
De qui s'est immolé pour moi;
Ne differez point davantage... *
Ciel! ô Ciel! qu'est-ce que je voi!

* L'Autel s'ouvre, & l'on voit sortir l'Image d'ALCESTE qui se perce le sein.

SCENE IV.

CE'PHISE, ADMETE, PHERES, CLEANTE, Peuples de leur suite.

CE'PHISE.

ALceste est morte!

ADMETE.

Alceste est morte!

LE CHOEUR.

Alceste est morte!

CE'PHISE.

Alceste a satisfait les Parques en couroux;
Vôtre tombeau s'ouvroit, elle y descend pour vous;
Elle-même a voulu vous en fermer la porte;
Alceste est morte!

ADMETE.

Alceste est morte!

LE CHOEUR.

Alceste est morte!

ADMETE.

Alceste est morte!

LE CHOEUR.

Alceste est morte!

CE'PHISE.

Sujets, Amis, Parents, vous abandonnoient tous;
Sur les droits les plus forts, sur les nœuds les plus doux,
L'Amour, le tendre Amour l'emporte:
Alceste est morte!

ADMETE.

Alceste est morte!

LE CHOEUR.

Alceste est morte!

ADMETE, tombe accablé de douleur entre les bras de sa suite.

SCENE V.

Troupes de Femmes affligées, & d'Hommes désolez, portant des fleurs, & tous les ornements qui ont servi à parer ALCESTE.

UNE FEMME AFFLIGE'E.

LA Mort, la Mort barbare
Détruit aujourd'hui mille appas.
Quelle Victime, helas!
Fût jamais si belle, & si rare?
La Mort, la Mort barbare
Détruit aujourd'hui mille appas.

AUTRE FEMME AFFLIGE'E.

Alceste, la charmante Alceste,
La fidelle Alceste n'est plus.

CHOEUR, *Alceste*, &c.

LA FEMME AFFLIGE'E.

Tant de beautez, tant de vertus,
Meritoient un sort moins funeste.

CHOEUR, *Alceste*, &c.

Un transport de douleur saisit les Troupes affligées, & désolez: Une partie déchire ses habits; L'autre s'arrache les cheveux, & chacun brise au pied de l'Image d'ALCESTE les ornements qu'il porte à la main.

CHOEUR.

CHOEUR.

Rompons, briſons le triſte reſte
De ces ornemens ſuperflus.
Que nos pleurs, que nos cris renouvellent ſans ceſſe:
Allons porter par tout la douleur qui nous preſſe.

SCENE VI.

ADMETE, PHERES, CE'PHISE, CLEANTE, Et leur ſuite.

ADMETE, revenu de ſon évanouiſſement, & ſe voyant déſarmé.

SAns Alceſte, ſans ſes appas,
Croyez-vous que je puiſſe vivre!
Laiſſez-moi courir au trépas
Où ma chere Alceſte ſe livre.

Sans Alceſte ſans ſes appas,
Croyez-vous que je puiſſe vivre?

C'eſt pour moi qu'elle meurt, helas!
Pourquoi m'empêcher de la ſuivre?

Sans Alceſte, ſans ſes appas,
Croyez-vous que je puiſſe vivre?

SCENE VII.

ALCIDE, ADMETE, PHERES, CE'PHISE, CLEANTE.

ALCIDE, à ADMETE.

TU me vois arrêté ſur le point de partir,
Par les triſtes clameurs qu'on entend retentir.

ADMETE.

Alceſte meurt pour moi par un amour extrême,
Je ne reverrai plus les yeux qui m'ont charmé :
Helas ! j'ai perdu ce que j'aime,
Pour avoir été trop aimé.

ALCIDE.

J'aime Alceſte, il eſt temps de ne m'en plus défendre :
Elle meurt, ton amour n'a plus rien à prétendre ;
Admete, céde-moi la Beauté que tu perds :
Au Palais de Pluton j'entreprens de deſcendre :
J'irai juſqu'au fonds des Enfers
Forcer la mort à me la rendre.

ADMETE.

Je verrois encor ſes beaux yeux !
Allez, Alcide, allez, revenez glorieux,
Obtenez qu'Alceſte vous ſuive :
Le Fils du plus puiſſant des Dieux
Eſt plus digne que moi du bien dont on me prive.

Allez, allez, ne tardez pas,
Arrachez Alceste au trépas;
Et ramenez au jour son Ombre fugitive;
Qu'elle vive pour vous avec tous ses appas;
Admete est trop heureux, pourvû qu'Alceste vive.

ENSEMBLE.

Allez, allez, ne tardez pas,
Arrachez Alceste au trépas.

SCENE VIII.

DIANE, MERCURE, ALCIDE, ADMETE PHERES, CE'PHISE, CLEANTE.

La Lune paroît, son Globe s'ouvre, & fait voir DIANE sur un Nuage brillant.

DIANE.

LE Dieu dont tu tiens la naissance
Oblige tous les Dieux d'être d'intelligence;
En faveur d'un dessein si beau,
Je viens t'offrir mon assistance;
Et Mercure s'avance
Pour t'ouvrir aux Enfers, un passage nouveau.

MERCURE vient en volant frapper la Terre de son Caducée, l'Enfer s'ouvre, & ALCIDE y descend.

FIN DU TROISIE'ME ACTE.

ACTE QUATRIE'ME.

Le Théâtre repréſente le Fleuve Acheron, Et ſes ſombres Rivages.

SCENE PREMIERE.

CARON, LES OMBRES.

CARON, ramant ſa Barque.

IL faut paſſer tôt ou tard,
Il faut paſſer dans ma Barque.

On y vient jeune, ou vieillard,
Ainſi qu'il plaît à la Parque :
On y reçoit ſans égard,
Le Berger, & le Monarque.

Il faut paſſer tôt ou tard,
Il faut paſſer dans ma Barque.

Vous qui voulez paſſer, venez, Manes errants,
Venez, avancez, triſtes Ombres,
Payez le tribut que je prens,
Ou retournez errer ſur ces Rivages ſombres.

LES OMBRES.

Passe-moi, Caron, passe-moi.

CARON.

Il faut auparavant que l'on me satisfasse,
On doit payer les soins d'un si penible emploi.

LES OMBRES.

Passe-moi, Caron, passe-moi.

CARON fait entrer dans sa Barque les Ombres qui ont dequoi le payer.

CARON.

Donne, passe; Donne, passe;
Demeure toi,
Tu n'as rien, il faut qu'on te chasse.

UNE OMBRE rebutée.

Une Ombre tient si peu de place.

CARON.

Ou paye, ou tourne ailleurs tes pas.

L'OMBRE.

De grace, par pitié, ne me rebutte pas.

CARON.

La pitié n'est point ici-bas,
Et Caron ne fait point de grace.

L'OMBRE.

Helas! Caron, helas! helas!

CARON.

Crie, helas! tant que tu voudras,
Rien pour rien, en tous lieux, eſt une loi ſuivie:
Les mains vuides ſont ſans appas;
Et ce n'eſt point aſſez de payer dans la vie:
Il faut encor payer au-delà du trépas.

L'OMBRE, en ſe retirant.

Helas! Caron, helas! helas!

CARON.

Il m'importe peu que l'on crie:
Helas! Caron, helas! helas!
Il faut encor payer au-delà du trépas.

SCENE II.

ALCIDE, CARON, LES OMBRES.

ALCIDE, ſautant dans la Barque.

SOrtez, Ombres, faites-moi place,
Vous paſſerez une autre fois.

Les Ombres s'enfuient.

CARON.

Ah! ma Barque ne peut ſouffrir un ſi grand poids!

ALCIDE.

Allons, il faut que l'on me paſſe.

CARON.

Retire-toi d'ici, Mortel, qui que tu ſois,
Les Enfers irritez puniront ton audace.

ALCIDE.

Passe-moi sans tant de façons.

CARON.

L'eau nous gagne, ma Barque crêve.

ALCIDE.

Allons, rame, dépêche, acheve.

CARON.

Nous enfonçons.

ALCIDE.

Passons, passons.

SCENE III.

Le Théâtre change, & représente le Palais de PLUTON.

PLUTON, PROSERPINE, L'OMBRE D'ALCESTE, Suivants de PLUTON.

PLUTON, sur son Trône.

REçois le juste prix de ton amour fidelle ;
Que ton destin nouveau soit heureux à jamais :
Commence de goûter la douceur éternelle
D'une profonde paix.

SUIVANTS

SUIVANTS DE PLUTON.

Commence de goûter la douceur éternelle
D'une profonde paix.

PROSERPINE à côté de PLUTON.

L'épouse de Pluton te retient auprès d'elle :
Tous tes vœux seront satisfaits.

SUIVANTS DE PLUTON.

Commence de goûter la douceur éternelle
D'une profonde paix.

PLUTON ET PROSERPINE.

En faveur d'une Ombre si belle ,
Que l'Enfer fasse voir tout ce qu'il a d'attraits.

Les Suivants de PLUTON répetent les deux derniers vers, & se réjouissent de la venuë d'ALCESTE dans les Enfers, par une espece de Fête.

SUIVANTS DE PLUTON.

Tout Mortel doit ici paraître,
On ne peut naître
Que pour mourir :
De cent maux le Trépas délivre ;
Qui cherche à vivre
Cherche à souffrir.

Venez-tous ſur nos ſombres bords,
Le repos qu'on deſire
Ne tient ſon Empire
Que dans le Séjour des morts.

On danſe.

CHOEUR.

Chacun vient ici bas prendre place;
Sans ceſſe on y paſſe,
Jamais on n'en ſort.

C'eſt pour tous une loi neceſſaire;
L'effort qu'on peut faire
N'eſt qu'un vain effort:
Eſt-on ſage
De fuir ce paſſage?
C'eſt un orage
Qui méne au Port.

Chacun vient ici bas prendre place;
Sans ceſſe on y paſſe,
Jamais on n'en ſort.

Tous les charmes,
Plaintes, cris, larmes,
Tout eſt ſans armes
Contre la mort.

Chacun vient ici bas prendre place;
Sans ceſſe on y paſſe,
Jamais on n'en ſort.

On danſe.

SCENE IV.

ALECTON, PLUTON, PROSERPINE, L'OMBRE D'ALCESTE, SUIVANTS DE PLUTON.

ALECTON.

Quittez, quittez les Jeux, songez à vous défendre,
Contre un Audacieux unissons nos efforts:
Le Fils de Jupiter vient ici de descendre
Seul, il ose attaquer tout l'Empire des morts.

PLUTON.

Qu'on arrête ce Temeraire,
Armez-vous, Amis, armez-vous,
Qu'on déchaîne Cerbere,
Courez-tous, courez-tous.

On entend aboyer CERBERE.

ALECTON.

Son bras abat tout ce qu'il frape,
Tout céde à ses horribles coups,
Rien ne résiste, rien n'échape.

SCENE V.

ALCIDE, PLUTON, PROSERPINE, ALECTON, Suivants de PLUTON.

PLUTON, voyant ALCIDE qui enchaîne Cerbere.

INsolent, jusqu'ici braves-tu mon couroux?
Quelle injuste audace t'engage
A troubler la paix de ces lieux?

ALCIDE.

Je suis né pour dompter la rage
Des Monstres les plus furieux.

PLUTON.

Est-ce le Dieu jaloux qui lance le tonnerre,
Qui t'oblige à porter la guerre
Jusqu'au centre de l'Univers?
Il tient sous son pouvoir & le Ciel & la Terre,
Veut-il encor ravir l'Empire des enfers?

ALCIDE.

Non, Pluton, regne en paix, jouis de ton partage;
Je viens chercher Alceste en cet affreux séjour,
Permets que je la rende au jour,
Je ne veux point d'autre avantage:

Si c'est te faire outrage
D'entrer par force dans ta Cour,
Pardonne à mon courage
Et fais grace à l'amour.

PROSERPINE.

Un grand cœur peut tout quand il aime,
Tout doit céder à son effort.
C'est un Arrêt du Sort,
Il faut que l'amour extrême
Soit plus fort
Que la mort.

PLUTON.

Les Enfers, Pluton lui-même,
Tout doit en être d'accord;
Il faut que l'amour extrême
Soit plus fort
Que la mort.

SUIVANTS DE PLUTON.

Il faut que l'amour extrême
Soit plus fort
Que la mort.

PLUTON.

Que pour revoir le jour, l'Ombre d'Alceste sorte.

PLUTON donne un coup de son Trident & fait sortir son Char.

Prenez place tous deux au Char dont je me sers :
Qu'au gré de vos vœux, il vous porte ;
Partez, les chemins sont ouverts :
Qu'une volante Escorte
Vous conduise au travers
Des noires vapeurs des Enfers.

ALCIDE & l'Ombre D'ALCESTE se placent sur le Char de PLUTON, qui les enleve sous la conduite d'une Troupe volante de Suivants de PLUTON.

FIN DU QUATRIE'ME ACTE.

ACTE CINQUIE'ME.

Le Théâtre change, & représente un Arc de Triomphe au milieu de deux Amphiteâtres, où l'on voit une multitude de differents Peuples de la Grece, assemblez pour recevoir ALCIDE triomphant des Enfers.

SCENE PREMIERE.

ADMETE, Troupe de Peuples.

ADMETE.

Lcide est vainqueur du trépas,
L'Enfer ne lui resiste pas:
Il ramene Alceste vivante;
Que chacun chante:
Alcide est vainqueur du trépas,
L'Enfer ne lui resiste pas.

CHOEUR.

Alcide est vainqueur du trépas,
L'Enfer ne lui résiste pas.

ADMETE.

Quelle douleur secrette
Rend mon ame inquiette,
Et trouble mon amour?
Alceste voit encor le jour,
Mais c'est pour un autre qu'Admete.

CHOEUR.

Alcide est vainqueur du trépas,
L'Enfer ne lui résiste pas.

ADMETE.

Ah! du moins cachons ma tristesse;
Alceste dans ces lieux ramene les plaisirs.
Je dois rougir de ma foiblesse;
Quelle honte à mon cœur, de mêler des soûpirs
Avec tant de cris d'allegresse!

CHOEUR.

Alcide est vainqueur du trépas;
L'Enfer ne lui résiste pas.

ADMETE.

Par une ardeur impatiente
Courons, & devançons ses pas.
Il ramene Alceste vivante,
Que chacun chante:

TOUS.

Alcide est vainqueur du trépas,
L'Enfer ne lui resiste pas.

SCENE II.

LICAS, STRATON enchaîné.

STRATON.

NE m'ôteras-tu point la chaîne qui m'accable,
Dans ce jour destiné pour tant d'aimables jeux?
Ah! qu'il est rigoureux
D'être seul miserable,
Quand on voit tout le monde heureux!

LICAS, mettant STRATON en liberté.

Aujourd'hui qu'Alcide ramene
Alceste des Enfers,
Je veux finir ta peine.

Qu'on ne porte plus d'autres fers
Que ceux dont l'Amour nous enchaîne.

ENSEMBLE.

Qu'on ne porte plus, &c.

SCENE III.

CE'PHISE, LICAS, STRATON.

LICAS, ET STRATON.

VOi, Céphise, voi qui de nous
Peut rendre ton destin plus doux;

Et termine enfin nos querelles.

LICAS.

Mes amours seront éternelles.

STRATON.

Mon cœur ne sera plus jaloux.

LICAS, ET STRATON.

Entre deux Amants fidelles,
Choisis un heureux Epoux.

CE'PHISE.

Je n'ai point de choix à faire ;
Parlons d'aimer & de plaire,
Et vivons toûjours en paix.
L'Hymen détruit la tendresse,
Il rend l'Amour sans attraits ;
Voulez-vous aimer sans cesse,
Amants, n'épousez jamais.

CE'PHISE, LICAS, ET STRATON.

L'Hymen détruit la tendresse
Il rend l'Amour sans attraits ;
Voulez-vous aimer sans cesse,
Amants, n'épousez jamais.

CEPHISE.

Prenons part aux transports d'une joye éclatante ;
Que chacun chante :

TOUS ENSEMBLE.

Alcide est vainqueur du trépas
L'Enfer ne lui resiste pas:
Il ramene Alceste vivante,
Que chacun chante : &c.

SCENE IV.

ALCIDE, ALCESTE, ADMETE, CE'PHISE, LICAS, STRATON, PHERES, CLEANTE, Troupe de Peuples.

ALCIDE.

POur une si belle victoire,
Peut-on avoir trop entrepris?
Ah qu'il est doux de courir à la gloire
Lorsque l'Amour en doit donner le prix!
Vous détournez vos yeux! je vous trouve insensible?
Admete a seul ici vos regards les plus doux?

ALCESTE.

Je fais ce qui m'est possible
Pour ne regarder que vous.

ALCIDE.

Vous devez suivre mon envie,
C'est pour moi qu'on vous rend le jour.

ALCESTE.

Je n'ai pu reprendre la vie,
Sans reprendre aussi mon amour.

ALCIDE.

Admete en ma faveur, vous a cedé lui-même.

ADMETE.

Alcide pouvoit seul vous ôter au trépas.
Alceste, vous vivez, je revois vos appas;
Ay-je pû trop payer cette douceur extrême!

ADMETE, ET ALCESTE.

Ah! que ne fait-on pas
Pour sauver ce qu'on aime!

ALCIDE.

Vous soupirez tous deux au gré de vos desirs;
Est-ce ainsi qu'on me tient parole?

ADMETE, ET ALCESTE.

Pardonnez aux derniers soûpirs
D'un malheureux amour qu'il faut qu'on vous immole.

Alceste, / Admete, } *il ne faut plus nous voir.*

D'un autre que { *de moi vôtre sort / de vous mon destin* } *doit dépendre:*
Il faut dans les grands cœurs, que l'amour le plus tendre
Soit la victime du devoir.

Alceste, / Admete, } *il ne faut plus nous voir.*

ADMETE se retire, & ALCESTE offre sa main à ALCIDE, qui arrête ADMETE, & lui céde la main qu'ALCESTE lui présente.

ALCIDE.

Non, non, vous ne devez pas croire
Qu'un Vainqueur des tyrans soit Tyran à son tour:
Sur l'Enfer, sur la Mort, j'emporte la victoire;
Il ne manque plus à ma gloire
Que de triompher de l'Amour.

ADMETE, ET ALCIDE.

Ah quelle gloire extrême!
Quel heroïque effort!
Le Vainqueur de la mort
Triomphe de lui-même.

SCENE V.

APOLLON, LES MUSES, LES JEUX,
Et les Acteurs de la Scene précédente.

APOLLON descend dans un Palais éclatant au milieu des Muses & des Jeux qu'il amene pour prendre part à la joye d'ADMETE & d'ALCESTE, & pour célébrer le Triomphe d'ALCIDE.

APOLLON.

LEs Muses, & les Jeux s'empressent de descendre,
Apollon les conduit dans ces aimables lieux.
Vous, à qui j'ai pris soin d'aprendre
A chanter vos amours sur le ton le plus tendre,
Bergers, chantez avec les Dieux.
Chantons, chantons, faisons entendre
Nos chansons jusque dans les Cieux.

SCENE DERNIERE.

Troupes de Bergers de Bergeres, & de Pastres, Et les Acteurs de la Scene précédente.

CHOEURS.

CHantons, chantons, faisons entendre
Nos chansons jusque dans les Cieux.

On danse.

CHOEURS.

Triomphez genereux Alcide,
Aimez en paix, heureux Epoux.

ALCIDE.

Aimez en paix, heureux Epoux.

On danse.

STRATON.

A quoi bon
Tant de raison
Dans le bel âge?
A quoi bon
Tant de raison
Hors de saison?

Qui craint le danger
De s'engager
Est sans courage:

Tout rit aux Amants,
Les Jeux charmants
Sont leur partage:
Tôt, tôt, tôt, soyons contents,
Il vient un temps
Qu'on est trop sage.

CE'PHISE.

C'est la saison d'aimer
Quand on sçait plaire,
C'est la saison d'aimer
Quand on sçait charmer.

Les plus beaux de nos jours ne durent guere;
Le sort de la Beauté nous doit allarmer,
Nos champs n'ont point de fleur plus passagere;
C'est la saison d'aimer, &c.
Un peu d'amour est necessaire,
Il n'est jamais trop tôt de s'enflâmer;
Nous donne-t-on un cœur pour n'en rien faire?
C'est la saison d'aimer, &c.

CHOEURS.

Triomphez, genereux Alcide,
Aimez en paix, heureux Epoux:
Que { *toûjours la Gloire* / *sans cesse l'Amour* } *vous guide,*
Jouissez à jamais des { *honneurs* / *plaisirs* } *les plus doux.*

FIN.

PRIVILEGE DU ROY.

LOUIS par la grace de Dieu, Roy de France & de Navarre : A nos amez & feaux Conseillers, les Gens tenans nos Cours de Parlement, Maîtres des Requêtes ordinaires de nôtre Hôtel, Grand Conseil, Prevôt de Paris, Baillifs, Sénéchaux, leurs Lieutenans-Civils, & autres nos Justiciers qu'il appartiendra, Salut. Nôtre cher & bien amé le Sieur LOUIS-ARMAND EUGENE DE THURET, cy-devant Capitaine au Regiment de Picardie ; Nous a fait représenter que, par Arrest de nôtre Conseil du 30. May 1733. Nous avons revoqué le Privilege qui avoit été accordé au Sieur le Comte & ses Associez, pour raison de l'Academie Royale de Musique, ses circonstances & dépendances, & rétabli ledit Privilege en faveur dudit Sieur Exposant, pour en joüir par luy, ses Associez, Cessionnaires & Ayans-cause aux charges & conditions portées par ledit Arrest, pendant le temps & espace de vingt-neuf années ; à compter du premier Avril de ladite année 1733. Et que pour l'exploitation dudit Privilege, ledit Sieur Exposant se trouve obligé de faire imprimer & graver les Paroles & la Musique des Opera qui doivent être représentez ; mais que pour cet effet il a besoin de nôtre permission & des Lettres qu'il Nous a tres-humblement fait supplier de luy accorder. A CES CAUSES, voulant favorablement traiter ledit Exposant : Nous luy avons permis & permettons par ces Présentes de faire imprimer & graver *les Paroles & Musique des Opera, Ballets & Fêtes qui ont été ou qui seront représentez par l'Academie Royale de Musique, tant séparément que conjointement* en tels Volumes, forme, marge, caractere, & autant de fois que bon luy semblera, & de les faire vendre & débiter par tout nôtre Royaume, pendant le temps de vingt-neuf années consecutives, à compter du jour de la datte desdites Presentes. Faisons défenses à toutes personnes, de quelque qualité & condition qu'elles soient d'en introduire d'Impression ou Gravûre Etrangere dans aucun lieu de nôtre obeïssance : Comme aussi à tous Imprimeurs, Libraires, Graveurs, Imprimeurs, Marchands en Taille-Douce, & autres de graver, ny faire graver, imprimer, ou faire imprimer, vendre, faire vendre, débiter ny contrefaire lesdites Impressions, Planches & Figures de Paroles, de Musique des Opera, Ballets & Fêtes, qui ont été ou qui seront representez par ladite Academie Royale de Musique, tant separément que conjointement en tout ny en partie, sans la permission expresse & par écrit dudit Sieur Exposant, ou de ceux qui auront droit de luy ; à peine de confiscation, tant des Planches & Figures, que des Exemplaires contrefaits & des Ustanciles qui auront servy à ladite contrefaçon, que Nous entendons être saisis en quelque lieu qu'ils soient trouvez ; de dix mille livres d'amende contre chacun des Contrevenans, dont un tiers à Nous, un tiers à l'Hôtel-Dieu de Paris, l'autre tiers audit Sieur Exposant, & de tous dépens, dommages & interests, à la charge que ces Presentes seront enregistrées tout au long sur le Registre de la Communauté des Libraires & Imprimeurs de Paris, dans trois Mois de la datte d'icelles ; Que la Gravûre & Impression desdites Paroles & Opera sera faite dans nôtre Royaume & non ailleurs, en bon papier & beaux caracteres, conformément aux Reglemens de la Librairie, & notamment à celui du dix Avril 1725. & qu'avant que de les exposer en vente, les Manuscrits gravez ou imprimez seront remis dans le même état où les Aprobations auront été données és mains de nôtre tres-cher & feal Chevalier Garde des Sceaux de France, le Sieur Chauvelin ; & qu'il en sera ensuite remis deux Exemplaires de chacun dans nôtre Bibliotheque publique, un dans celle de nôtre Château du Louvre, & un dans celle de nôtre tres-cher & feal Chevalier Garde des Sceaux de France, le Sieur Chauvelin ; Le tout à peine de nullité des Presentes ; Du contenu desquelles Vous mandons & enjoignons de faire joüir ledit Sieur Exposant, ou ses Ayants-cause, pleinement & paisiblement sans souffrir qu'il leur soit fait aucun trouble ou empeschement. Voulons que la Copie desdites presentes, qui sera imprimée tout au long au commencement ou à la fin desdites Paroles ou Opera, soit tenuë pour dûëment signifiée ; & qu'aux Copies collationnées par l'un de nos amez & feaux Conseillers & Secretaires, foy soit ajoûtée comme à l'Original. Commandons au premier nôtre Huissier ou Sergent, de faire pour l'execution d'icelles tous Actes requis & necessaires, sans demander autre permission, & nonobstant Clameur de Haro, Chartre Normande & Lettres à ce contraires. CAR tel est nôtre plaisir. DONNE' à Fontainebleau le douziéme jour de Novembre, l'An de Grace mil sept cent trente-quatre, & de nôtre Regne le vingtiéme ; *Et plus bas*, Par le Roy en son Conseil. *Signé* SAINSON, avec paraphe.

J'ay cedé à M. BALLARD le present Privilege, suivant le Traité fait avec luy le premier Septembre 1730. A Paris ce 23. Novembre 1734. DE THURET.

Registré ensemble la Cession, sur le Registre VIII. de la Chambre Royale des Libraires & Imprimeurs de Paris N. 797. *fol.* 779. *conformément aux anciens Reglemens confirmez par celuy du 28 Fevrier 1723. A Paris le 23. Novembre 1734.* G MARTIN, *Syndic.*

Imprimé en France
FROC021827210120
23239FR00023B/447/P

9 782329 360508